Pas de chance, c'est dimanche !

Vous pouvez visiter notre site
tous les jours de la semaine,
y compris le dimanche !
www.soulieresediteur.com

De la même auteure

Chez Soulières éditeur :
Le champion du lundi, 1998
Le démon du mardi, 2000, Prix Boomerang 2001,
  3e position au Palmarès de Communication-
  Jeunesse 2001
Le monstre du mercredi, 2001,
  2e position au Palmarès de Communication-
  Jeunesse 2002
Lia et le secret des choses, 2002
J'ai vendu ma sœur, 2002, Prix du Gouverneur
  Général du Canada 2003
Les petites folies du jeudi, 2003,
  Prix Communication-Jeunesse 2004,
  Grand Prix du livre de la Montérégie 2004
Le macaroni du vendredi, 2004, Grand Prix du
  livre du public de la Montérégie 2005
L'esprit du vent, coll. Graffiti 2005, Grand Prix du
  jury de la Montérégie 2005

Chez d'autres éditeurs :
C'est pas tous les jours Noël, éd. Héritage, 1994
Mozarella, éd. Pierre Tisseyre, 1994
Mes parents sont fous, éd. Héritage, 1996
Fous d'amour, éd. Héritage, 1997
Le cadeau ensorcelé, éd. Héritage, 1997
La tête dans les nuages, éd. Héritage, 1997
La queue de l'espionne, éd. Héritage, 1999
L'école de fous, éd. Héritage, 1999
Le cercle maléfique, éd. Héritage, 1999
Sapristi, mon ouistiti, éd. Michel Quintin, 2000
Fou furieux !, éd. Héritage, 2000
Le pouvoir d'Émeraude, éd. Pierre Tisseyre, 2001
L'animal secret, éd. Michel Quintin, 2001
La sorcière vétérinaire, éd. Michel Quintin, 2002
Sapristi chéri !, éd. Michel Quintin, 2003
La plus méchante maman, éditions Imagine, 2005

Pas de chance, c'est dimanche !

un roman écrit et illustré par
Danielle Simard

SOULIÈRES ÉDITEUR

case postale 36563 — 598, rue Victoria
Saint-Lambert (Québec) J4P 3S8

Soulières éditeur remercie le Conseil des Arts du Canada et la SODEC de l'aide accordée à son programme de publication et reconnaît l'aide financière du gouvernement du Canada par l'entremise du Programme d'Aide au Développement de l'Industrie de l'Édition (PADIÉ) pour ses activités d'édition. Soulières éditeur bénéficie également du Programme de crédit d'impôt pour l'édition de livres – Gestion Sodec – du gouvernement du Québec.

Dépôt légal : 2007
Bibliothèque nationale du Canada
Bibliothèque nationale du Québec

Données de catalogage avant publication (Canada)

Simard, Danielle

Pas de chance, c'est dimanche !.

(Collection Ma petite vache a mal aux pattes ; 75)
Pour enfants de 6 ans et plus.

ISBN 978-2-89607-053-4

I. Titre. II. Collection.

PS8587.I287P37 2007   jC843'.54   C2006-941931-0
PS9587.I287P37 2007

Conception graphique de la couverture :
Annie Pencrec'h

Logo de la collection :
Caroline Merola

À Patrick Rousseau et à tous les autres
élèves des classes de Julie Pineault
et de Danielle Lorion, de l'école
La Perdriolle, en 2005-2006.

Chapitre 1

C'EST POCHE !

Aimez-vous le dimanche ? Moi, non. D'ailleurs, pourquoi cette journée-là s'appelle-t-elle dimanche plutôt que manchedi ? Hein ? Pourquoi ne fait-elle rien comme les autres ? Parce qu'elle commence la semaine ?

Moi, j'ai l'impression qu'elle la finit. Vous voyez, dimanche ne sert qu'à embrouiller tout le monde. À la fin, ça donne de drôles d'idées aux parents.

Comme de passer une journée en famille…

Et il a fallu que je trouve ce courriel en me levant, ce matin :

Bonjour Julien,
Le dernier dimanche avant la rentrée scolaire est déjà arrivé. Snif ! Snif ! Pour me consoler, je vous invite chez moi, Antonin et toi. Vous allez voir : j'ai capturé plein de belles araignées depuis notre retour du camp Beauséjour ! J'ai hâte de vous les montrer. Mon père pourrait aller te chercher en auto en début d'après-midi. Qu'en dis-tu ? Oui, j'espère !
Dounia XXXX

Ma belle princesse des araignées ! Je devrais tout de suite lui répondre : « Non, je ne peux pas aller chez toi, justement parce que c'est dimanche. Ce jour-là, ma mère organise toujours une atroce sortie obligatoire en famille. »

Mais qui sait ?

Je répondrai à Dounia après le déjeuner. Peut-être que cette nuit maman a fait un rêve qui l'a transformée. Peut-être même qu'elle s'est tordu un pied au saut du lit…

Il est toujours permis d'espérer !

Zut ! Dans la cuisine, je trouve maman sur ses deux pieds. Ma soeur Roxane tend ses mains jointes vers elle. Qu'est-ce qui arrive ? On dirait deux statues.

Non, maman hausse finalement les épaules et laisse tomber :

— Bon, d'accord, pour cette fois.

Roxane lui saute au cou. Je demande :

— D'accord pour quoi ?

— Aujourd'hui, j'ai une réunion avec mes amis. On prépare la fête de la rentrée, à l'école.

— Et tu peux y aller ?

— Ouiiiii ! lance Roxane en sautillant sur place.

Cette nuit a vraiment transformé ma mère. Je m'exclame :

— Ça tombe bien ! Moi, j'ai reçu une invitation pour aller chez Dounia.

— Juliiiien ! grogne maman. Je t'ai déjà dit qu'on ne revenait pas là-dessus. Dimanche, pas d'amis ! Grand-maman nous attend pour souper. Et avant, nous allons visiter le musée des Bûcherons des pays d'en haut.

Si elle croit m'abattre aussi facilement ! Je riposte avec une super idée :

— Profitez-en pour faire cette sortie en amoureux, papa et toi. Roxane ira à sa réunion et moi, chez Dounia.

— Non ! Je te le répète pour la millionième fois, ce qui fait neuf cent quatre-vingt-dix-neuf mille fois de trop : le dimanche, on fait TOUJOURS une sortie en FA-MILLE.

— Pas aujourd'hui.

— Nous allons pourtant au Musée des bûcherons des…

— Si Roxane ne vient pas, ce n'est PAS une sortie en FAMILLE.

Mon argument est trop fort. Maman en a le souffle coupé.

— C'est vrai ça… finit-elle par murmurer. Où avais-je la tête ?

Enfin, elle a compris ! Moi aussi, j'ai ma permission. Je m'apprête à lui sauter au cou. Mais la voilà qui se tourne vers Roxane et déclare :

— Ton frère a raison, ma belle. Tu vois bien que je ne peux pas faire d'exception. Il faut reporter ta réunion.

Je ne saute au cou de personne. C'est plutôt Roxane qui saute au mien. Et pas pour m'embrasser !

Sale petit crapaud, j'aurai ta peau !

— Laisse ton frère tranquille ! ordonne maman.

Ouf ! Roxane me lâche, mais elle continue de hurler :

— Je ne reporte aucune réunion, moi ! Et je ne mettrai pas le petit orteil à ton musée des vieilles bûches !

— Ah non ? lance maman. Dans ce cas, je ne mettrai pas un sou dans tes boutiques de guenilles neuves. Tu feras ta 2e secondaire dans des vêtements trop petits…

— Tu ne peux pas me faire ça !

— Et pourquoi pas ? demande maman, avec un petit sourire en coin.

— Rat d'égout ! crache ma soeur à deux poils de ma figure. Tu vas me payer ça ! Et cher !

D'un geste brusque, elle reprend son gros sac sur le comp-

toir. Trop brusque ! La courroie cède et le sac laisse tomber au sol un journal intime, un carnet de téléphone, un stylo… enfin, plein de trucs, dont des tas d'accessoires de beauté.

Pendant que Roxane ramasse ses tubes de rouge à lèvres, maman commence :

— Qu'est-ce que je vois là ? Une belle jeune fille comme toi n'a pas besoin de se peinturlurer comme…

Ma soeur l'enterre avec sa fameuse imitation de sirène de pompier :

— AAouAAAAouAAAAAouAH AHAHAH…

Enfin ! Elle croit avoir tout fourré dans son gros sac et fonce vers sa chambre. BLANG!

Maman court dans le corridor en criant :

— Je t'ai déjà dit de ne pas claquer la porte !

Le petit rat d'égout a des yeux de lynx. Lui seul a vu la belle tablette de Chococrunch oubliée par son horrible grande soeur

au pied du réfrigérateur. Vif comme un chat, il s'en empare et la glisse dans la plus profonde poche de son pantalon.

Ça lui apprendra à me traiter de tous les noms, cette guenon !

N'empêche qu'il faut me tenir sur mes gardes. Quand Roxane veut me faire payer quelque chose, et cher…

Chapitre 2

C'EST LOIN !

Il y a une éternité que nous roulons vers le musée du bout du monde. Roxane et moi avons perdu depuis presque aussi longtemps le droit de parler.

Si un de nous demande encore : « Quand est-ce qu'on arrive ? », il devra laver les planchers de la maison à la brosse à dents. Si un de nous répète une seule fois qu'il a faim ou soif, il tondra la pelouse au petit ciseau !

Voilà pour les menaces de maman ! Mais papa, lui, a le droit de dire :

— On a dû se tromper, chérie. Il y a une heure que nous roulons sur cette route de terre. Ce n'est pas normal.

— Bien sûr que oui, chéri. Un musée des Bûcherons, où veux-tu que ça se trouve, sinon au fond des bois ?

Papa n'insiste pas. A-t-il peur de devoir nettoyer la salle de bains avec sa langue ?

Au moins, rouler dans des trous et des cailloux fait assez de bruit pour atténuer le tapage de ma soeur.

Cette corneille ne se lasse pas de fausser à tue-tête, en duo avec la musique qui déborde de ses écouteurs. Et je suis poli d'appeler « musique » ces hurlements de chats sur fond de casseroles dégringolant un escalier de métal.

Bien sûr, j'ai essayé de faire taire Roxane, gentiment :

— Ferme-la ! Tu me casses les oreilles !

Elle m'a rétorqué aussi sec :

— Si je ne chante pas, j'entends les *bip bibip* de ton jeu électronique pour bébé. Et un seul de ces *bip bibip* peut me faire tourner les nerfs en boules. Et si ça m'arrive, je suis bien capable de te faire avaler le machin

débile que tu as entre les mains. Et les *bip bibip*, tu les auras dans le ventre. Alors, tu vois que tu as tout intérêt à ce que je continue à chanter.

Comme elle est plus grosse que moi...

De toute façon, je ne peux plus jouer. La voiture cahote trop sur le chemin de terre.

Sans *bip bipbip*, je vais mourir d'ennui. Il n'y rien d'autre à voir ici que des arbres et encore des arbres, jamais d'autres autos ni même de maisons. D'après moi, nous sommes sur le point d'atteindre le pôle Nord !

En plus, je meurs de faim… Si seulement je pouvais sortir de ma poche ma belle Chococrunch volée, la déballer et la manger sans que sa vraie propriétaire me voie !

Si seulement je pouvais me dégourdir les jambes, aussi ! Elles sont tellement ankylosées que j'ai du mal à les allonger sur le côté.

— AAAAArrête avec ton pied !

Mon horrible soeur n'a pas les jambes engourdies, elle. La voilà qui cherche à me piétiner contre la portière de la voiture.

Ma mère se retourne, furibonde.

Quoi encore?

— Il a dépassé sa moitié de
l'auto ! accuse Roxane.

— C'est faux !

— Non, c'est vrai. La frontiè-
re est ici et ton pied était là !

Papa freine si sec que ça
nous ferme le bec aussi sec.

— Ça suffit ! tranche-t-il. Nous
rebroussons chemin. Et pas seulement parce qu'on devient fous.
Je vous annonce très scientifi-

quement que si nous faisons un kilomètre de plus dans cette direction, nous n'aurons plus assez d'essence pour revenir à la civilisation.

— Regarde, chéri, il y a un panneau, juste un peu plus loin ! lance maman.

Papa consent à faire les quelques mètres restants. Enfin, nous découvrons l'enseigne du musée des Bûcherons des pays d'en haut ! L'enseigne n'est pas mal, mais le musée…

Trois cambuses aussi grises que le ciel tiennent à peine debout, tout au fond d'un grand stationnement en terre battue… vide de toute auto.

Papa échappe quelques gros mots, puis :

— As-tu vérifié si c'était ouvert avant de nous traîner ici ?

—Qui… qui te dit que c'est fermé ? répond maman d'une voix mal assurée.

L'auto garée près des bâtiments, nous tentons de nous déplier pour en sortir. Hou ! Un corps, ça rouille vite… Dehors, il n'y a aucun son. Pas le moindre chant d'oiseau. Ma soeur se beurre les lèvres de rose dégueu.

Pendant qu'elle cherche la pire façon de m'anéantir, je me tape le front et je lance :

— Ah, je comprends ! C'est pour faire fuir les ours...

Roxane se jette sur moi, son rouge à lèvres brandi comme un poignard. Je suis sauvé de justesse :

— Là, derrière la cabane : deux camionnettes stationnées ! crie maman.

Au même instant, une espèce de Père Noël sort du musée et nous lance, tout joyeux :

— Vous arrivez juste à temps. Le déjeuner du bûcheron finit à 14 heures et il est 14 heures moins une !

L'odeur du bacon me saute au nez et je sens la vie me revenir. Maman demande :

— C'est compris dans le prix de la visite ?

— Euh, non… Il y a un supplément de dix dollars par personne.

Mais vous allez voir : un bûcheron, ça mange beaucoup !

Maman a un petit rire hautain avant de lâcher :

— Nous ne sommes pas des bûcherons, nous... Vous avez des tables à pique-nique ?

— Non. Puis on n'a pas de piscine non plus.

L'homme retourne dans sa cabane avec un gros rire méprisant. Il aurait pu ajouter qu'ils n'ont même pas de gazon où étendre une nappe. Roxane s'accroche au bras de maman et supplie :

— Allez, on y va, mamou ! On a qu'à garder nos sandwiches pour demain.

Maman refuse. Le déjeuner du bûcheron serait trop cher, trop gras, trop sucré... trop amusant pour elle, surtout ! Nous mangeons debout autour du coffre de la voiture. En silence, parce que nous sommes trop fâchés.

Le Père Noël ressort avec deux autres « bûcherons ». Appuyés contre le bâtiment, ils éclatent de rire à tout bout de champ, sans nous lâcher des yeux.

Maman mord rageusement dans son sandwich.

— Ils se moquent de nous, crache-t-elle soudain. On s'en va !

Avec un regard noir, Papa lui jette :

— Pas question ! Tu as voulu visiter le musée des Bûcherons des pays d'en haut ? Eh bien, tu vas le visiter !

Sur ces douces paroles, ma soeur pique le dernier sandwich au poulet, juste comme j'allais le prendre.

— Donne-moi ça ! Tu sais que je n'aime pas le jambon.

— Étouffe-toi ! Moi non plus, je n'aime pas tellement le jam-

bon. Huuum, ta garniture au poulet est imbattable, maman !

La monstrueuse dévoreuse
de poulet me dévisage en se
léchant les lèvres. Ma seule
consolation est de la voir effa-
cer ainsi les dernières traces de
son rose dégueu.

Maigre consolation... À quoi
ça sert une soeur ? À vous en-
seigner le malheur ?

Il doit sûrement y avoir d'autres utilités… Tiens ! Roxane, j'en ferais de la saucisse à la soeur, sauce épicée ! Et puis non, elle ne doit pas être mangeable.

Ha ! Ha ! Tout à coup, je sens ma vengeance. Oui, je la sens contre ma jambe, au fond de ma poche ! Bientôt, je vais dévorer à SA santé la tablette de Choco-crunch de ma soeur détestée.

Pour ça, je n'ai qu'à aller aux toilettes !

Chapitre 3

C'EST TERRIBLE !

La Chococrunch pèse toujours au fond de ma poche. Il n'y a ici que des toilettes sèches qui empestent. Ça m'a coupé l'appétit tout net.

La visite commence justement par la cuisine. Le Père Noël nous sert de guide. Avec un sourire méchant, maman lui demande si nous sommes les seuls visiteurs du mois.

— Toutes ces grandes tables-là vont être pleines de monde *à soir*, ma petite madame. On attend un autobus de touristes français de France.

— Bon, on l'a vu, votre restaurant, fait maman. Vous avez quelque chose d'intéressant à nous montrer ?

— À vos ordres, ma petite madame. Allons-y pour les dortoirs. On *travarse* dans l'autre bâtiment !

Maman entre en premier et pousse aussitôt un cri d'horreur. Nous nous précipitons pour voir le vampire dégoulinant de sang... ou la souris féroce... Hou lala ! À côté de certains lits, les murs sont tapissés de photos de femmes. De femmes toutes nues !

— Vous n'avez pas honte ? s'écrie maman en nous couvrant les yeux de ses mains.

— C'est la vérité historique, ça, ma petite madame. On a gardé les murs tels qu'ils étaient quand on a *farmé* le camp dans les années soixante. Les hommes n'avaient pas la visite de belles créatures comme vous. Fallait bien qu'ils se rincent l'oeil autrement !

Plutôt que de s'en prendre au monsieur, maman se jette sur papa :

— Tu acceptes de voir tes enfants dans un trou pareil ? Moi, pas ! Tu peux finir la visite avec ce cochon, mais ce sera sans nous !

La voilà qui nous tire par la main, Roxane et moi, jusqu'à la voiture. Elle prend le volant et démarre. Papa saute à bord à l'instant où nous décollons dans un nuage de poussière.

Comme nous tournons à toute allure sur la route de gravier, il s'écrie :

— Aïe, le bûcheron nous fait de grands signes, derrière !

— Des signes grossiers, je suppose ! jappe maman en appuyant davantage sur l'accélérateur. Celui-là, il a fini de rire de nous !

Ça brasse tellement dans l'auto qu'on s'assomme au plafond. Je me sens comme une botte dans une sécheuse à linge. Papa pense sûrement à sa chère carrosserie, mais il ne dit rien. Il préfère sa peau. Les kilomètres et le temps passent. Peu à peu, la conductrice se calme. Papa, lui, s'énerve…

— Tu ne t'es pas trompée de sens en quittant le musée ? demande-t-il soudain.

— Mais non, pourquoi ?

— Il me semble que nous aurions dû rejoindre la route principale, maintenant.

— Pas sûr…

— En tout cas, l'aiguille du réservoir d'essence arrive dans le rouge… On devrait retourner vers le musée. On n'a pas assez de carburant pour s'y rendre, mais on pourra faire le reste du trajet à pied. Ils ont sans doute quelques bidons d'essence, là-bas. Ils nous en vendront.

— Es-tu FOU ? tonne ma mère en accélérant. D'abord, je ne me suis pas trompée de direction. Puis je préfère mourir que de retourner chez ces cochons !

Papa se tord le cou vers le ciel et soupire :

— Sans ces nuages, le soleil nous indiquerait notre direction…

— Arrête de m'énerver, je te dis que je ne me suis pas trompée ! coupe maman qui accélère encore.

— Tu l'auras voulu ! lance papa, sur un ton à vous glacer le sang.

Ma sœur n'a rien entendu, avec ses miaulements électroniques branchés dans les oreilles. Moi, je regarde de tous mes yeux le plus loin devant. J'espère voir apparaître la route asphaltée. Mais notre chemin n'arrive jamais nulle part. Pire, il rétrécit ! Comme si les arbres commençaient à le manger.

On s'enfonce dans une forêt sans fond ! Maman a les jointures blanches, tellement elle tient le volant serré. Papa a les bras croisés et les lèvres pincées. Il me semble que ça dure comme ça un siècle avant que la voiture tousse un peu, puis refuse de continuer.

— Tu es contente, tête dure ? claironne papa.

— On est déjà arrivés ? demande ma soeur en retirant ses écouteurs.

Ma mère bredouille :

— Euh… on… on va appeler du secours… sur le cellulaire.

Il y a un drôle de silence et papa avoue faiblement :

— Je n'ai pas le cellulaire.

Cette fois, c'est maman qui crie :

— Comment ! Depuis des mois, on paie ce jouet ridicule quarante dollars par mois, pour rien ! Et la seule fois qu'il aurait pu servir, on ne l'a même pas ?

— Qu'est-ce qui se passe ? hurle ma soeur.

Mes parents ne l'entendent pas. Ils sont trop occupés à s'accuser des pires crimes. C'est donc moi qui lui annonce la triste nouvelle :

— Il se passe, ma belle, que tu vas finir tes jours ici.

Chapitre 4

C'EST ENCORE PIRE !

L'auto va exploser sous la pression des cris de ma famille. Mieux vaut quitter cette bombe pendant qu'il en est encore temps.

Ouf ! Il fait meilleur dehors. N'empêche que j'ai une boule dans la gorge. Qu'est-ce qui va nous arriver ?

Papa sort à son tour en claquant la portière. Il fait des allers-retours sur la route. J'irais bien lui demander ce qu'il compte faire, mais la façon dont il donne des coups de pied dans les cailloux m'en enlève toute envie.

Deuxième claquement de portière ! Cette fois, c'est Roxane qui va s'asseoir contre un arbre et revisse ses écouteurs dans les oreilles.

Maman reste toute seule dans l'auto. Le temps semble immobile. Mais il ne faut pas s'y fier. L'air de rien, le soleil pense déjà à se coucher !

Va-t-on passer la nuit ici ?

Pas de bruits de moteur… Pas d'autres sons que les coups de pieds de papa, les grésillements distordus de ma soeur, les *bzz bzz* des insectes puis une portière qui s'ouvre. Ma mère se décide à sortir. Aussitôt, ma soeur s'écrie :

— J'ai faim ! Si on avait mangé le déjeuner du bûcheron, il nous resterait au moins notre pique-nique. Tout ça, c'est de ta faute !

Troisième claquement de portière ! Maman est retournée dans la voiture.

Quelle belle sortie en famille ! Comme j'aime les dimanches avec papa, maman et Roxane !

Je décide de me dégourdir les jambes en suivant la route. Ces petites taches rouges, là… Ce ne serait pas ? Oui, de belles framboises bien mûres !

Je cherche autour : pas d'autres framboisiers. Donc peu de fruits. Un ventre plein l'emporte-t-il sur quatre ventres presque vides ? Le calcul est simple et la réponse est : oui. Surtout si ce ventre plein sera le mien.

En vitesse, j'emplis ma main. Je m'éloigne un peu pour manger. Puis je retourne prendre des provisions. À la cinquième fois, Roxane surgit dans mon dos.

Qu'est-ce que tu fais?

Sous le coup de la surprise, je referme la main sur mes fruits.

— C'est quoi, ça ? demande ma soeur en tirant sur mes doigts.

Aucune fuite possible !

— Espèce de traître ! Tu trouves des framboises et tu les manges en cachette ? Sans-coeur ! Égoïste ! Tu devrais avoir honte !

Elle me pousse. Moi, je la repousse avec… ma main pleine de fruits écrasés.

— Aaaaaah ! Ma blouse blanche ! Je vais te découper en morceaux, sale petit rat.

Roxane me tord le poignet. Elle essuie de force ma main sur le devant de mon propre t-shirt propre. Me voilà tout tartiné de ce qui restait de framboises. Furieux, je me jette sur elle. Mais cette espèce de rhinocéros m'envoie voler dans une flaque de boue.

— Maman va le savoir ! lance-t-elle en courant vers la voiture. C'est impardonnable de ne pas partager la nourriture avec sa famille affamée !

Je saute sur mes jambes et je pique à travers bois, de plus en plus vite. Qu'elle dise ce qu'elle voudra à qui elle voudra ! Moi, je ne veux plus voir cette famille de fous.

Plus je m'éloigne d'eux, mieux je respire. Je deviens léger, je cours, je saute par-dessus les obstacles, je fonce entre les branches. Je deviens Flèche de feu, roi des loups.

« Fais ci, fais ça ! Comme ci, comme ça ! Pas comme ci, pas comme ça ! »

Ils vont arrêter de me pomper l'air.

En tout cas, ils ne méritent rien de moi. Je vais manger ma Chococrunch au fond des bois. TOUT SEUL !

Julien Potvin, un sans-cœur ? Qu'elle se regarde donc, Roxane ! À cause d'elle, j'ai les fesses toutes mouillées. Puis ça ne séchera jamais, avec le soir qui approche. Je déteste être mouillé. Puis je suis certain qu'elle les aurait mangées aussi, les framboises. Ce qui la fait baver, c'est de ne pas les avoir trouvées en premier. Je la connais !

Un jour, j'aurai ma revanche. Je deviendrai un grand savant. J'inventerai le hachoir à soeurs détestables.

Hou ! En attendant… j'ai un point au côté… Aaaaah… Flèche de feu dégouline de sueur, plié en deux…

Je m'arrête. De toute façon, personne ne va me retrouver ici.

L'heure du chocolat a sonné.

Oh, non ! Ce sont les maringoins qui m'ont trouvé. Si je reste sans bouger une seconde de plus, je vais être dévoré avant même d'avoir développé ma Chococrunch.

Je ferais mieux de retourner vers l'auto. Je mangerai en chemin. Le soir tombe vite, avec ce ciel couvert…

Chapitre 5

C'EST
EFFRAYANT !

— Au secours !

Je crie à m'en déchirer les poumons. C'est terrible, terrible ! Comment retrouver mon chemin ? Il n'y a pas de chemin ici. Pas le plus petit sentier. Que des arbres et des arbres, serrés. J'ai beau marcher depuis super longtemps, je ne débouche jamais sur cette foutue route de terre. Je suis perdu, perdu, perdu !

— Au secooooooooours !

À quoi bon crier ? Personne n'arrive ni ne me répond. Là, je braille. Plus moyen de m'arrêter. Il fait presque noir. Il fait presque froid. Je n'ai presque plus la force de repousser les moustiques.

— Au secooooooooours !

C'est vrai de vrai. Je vais périr au fond des bois. Je n'aurai plus jamais rien d'autre à manger que ma Chococrunch. Pourtant, elle ne me fait plus du tout envie. Bah ! Comme ça, je la garderai le plus longtemps possible. Jusqu'à ce que je sois sur le point de mourir de faim…

— Au secours ! Papaaaaa ! Mamaaaaaaan ! Roxaaaaaane !

Je pleure tellement que je bois mes larmes. Je ne reverrai jamais ma famille. Et puis l'école va com-

mencer sans moi. J'imagine Odile
la crocodile annoncer la mauvaise nouvelle aux autres. Est-ce
qu'ils seront tristes ? Un peu. Mais
ça ne les empêchera pas de jouer
à la récré…

Maman et papa, ce sera différent. Eux, ils pleureront longtemps, longtemps. Même si je ne leur ai pas donné de framboises.

Quand à Roxane la méchante, c'est elle qui pleurera le plus fort. De honte ! Elle n'arrivera jamais à oublier notre dernière minute ensemble. Comment elle m'a jeté dans la boue !

Ses remords l'étoufferont mieux que je ne rêve de le faire moi-même.

La pauvre, elle ne pourra plus s'asseoir sur le sofa sans se rappeler nos chatouilles. Elle se souviendra de moi, tout petit, du temps où je l'appelais Ossane. Et qu'elle m'appelait Juju. Du temps où elle me prenait dans ses bras, même si j'étais beaucoup trop lourd...

On s'aimait bien, à l'occasion, Roxane et moi. La première fois que je me suis perdu, à la Ronde, c'est elle qui m'a retrouvé. Quand on s'est aperçus dans la foule, on a couru l'un vers l'autre. Tellement vite qu'on ne voyait plus rien ! On s'est serrés fort, fort, fort...

Il faut qu'elle me retrouve encore !

— Roxaaaaaaaane !

Oh ! J'entends des craque-ments dans les branches.

— Roxane ?

— GRRRRRR !

AAAAAAAAH! UN OURS! Un vrai ! Il se dresse sur ses pattes arrière à trois mètres de moi. Mes jambes se transforment en patates pilées. Une petite voix récite dans ma tête de ne pas courir, de ne pas grimper, de pro-téger mon cou…

De toute façon, je suis para-lysé. Je… je… Là, c'est plus sûr que sûr, je vais mourir. Avec mon t-shirt à la framboise, cet ours va me dévorer sans se poser de question.

— TOUCHE PAS À **MON** FRÈRE !

Qu… Quoi ? C'est la petite voix suraiguë de Roxane, ça !

Oui ! Elle est là, derrière l'ours. Il se retourne en grognant davantage. Il fait quelques pas vers elle ! Avec sa blouse à la framboise, il va la dévorer tout rond sans se poser de question.

Oups ! Il revient vers moi. Du coup, je retrouve l'usage de mes jambes. Et de mon cerveau : il me vient même une idée. Je décide de contourner la bête en gardant mes distances.

— Reste là, Roxane ! Tu vas voir, j'ai un plan.

À mesure que je dépasse l'ours, il pivote sur place. Ainsi, nous nous faisons toujours face. Mais qui sait quand il décidera de charger ?

Doucement, très doucement, je me rapproche de ma soeur. Doucement, tout doucement, je glisse ma main dans ma poche. Dès que je me trouve entre Roxane et la bête, je sors la Chococrunch. Je déchire le haut de l'emballage. Sans geste brusque, je lance mollement la tablette au pied de l'ours.

Toujours doucement, je recule vers ma soeur. La bête ramasse la tablette, l'examine, la renifle… Roxane m'attrape la main et nous reculons lentement, puis de plus en plus vite. Bientôt ma soeur m'entraîne dans une course folle. Je me retourne de temps en temps. L'ours ne nous suit pas !

Ma terrible peur faiblit, remplacée par ma folle inquiétude de tout à l'heure. Je demande :

— Sais-tu où nous allons ?

— Le rouge à lèvres rose fluo, c'est très utile, Juju. Regarde bien les arbres !

Mais oui ! J'aperçois soudain des traces roses sur les troncs. Il suffit de courir de l'une à l'autre.

— Tu es géniale, Ossane !

— Toi, tu es mon héros, Juju !

Nos mains se serrent encore plus fort. Nous sommes Ossane

et Juju Potvin, grands coureurs des bois. Nous sommes Coeur vaillant et Nerf d'acier, les inséparables dompteurs d'ours !

Enfin, nous atteignons notre bonne vieille voiture. À bout de souffle, Roxane se rue sur le volant. Elle enfonce le klaxon plusieurs fois de suite.

Papa et maman surgissent de la forêt à quelques minutes d'intervalle. Tour à tour, ils se jettent sur moi avec de grands cris de joie.

Je ne suis mort ni de froid ni de faim. Je n'ai été dévoré ni par les moustiques ni par l'ours. Mais je passe à un cheveu d'être étouffé par mes parents !

Tout le monde pleure et tremble. Papa et maman remettent chacun un tube de rouge à Roxane. Il fait vraiment presque noir, maintenant. Nous entrons dans la voiture, à l'abri des petits suceurs de sang.

Chapitre 6

C'EST SUPER !

Maman est collée, collée contre papa. Moi, collé, collé contre Roxane. Le plafonnier est allumé. Autour de notre bulle, le monde est tout noir. Il n'existe plus. Depuis des heures, on se raconte de vieux souvenirs qu'on aime. Comment papa et maman se sont rencontrés. Comment c'était avant qu'on naisse. Comment c'était quand on est nés. Et surtout après ! Plein de petits moments nous remontent à la tête comme des bulles...

— Puis la fois du gâteau au chocolat !

— Oh oui, le gâtôôôôôôôô! crions-nous en chœur.

— La tête de madame Brochu, quand il s'est écrasé à ses pieds, sur son balcon !

À travers mes rires, j'arrive à raconter :

— Je me suis penché par la fenêtre et j'ai crié : « Oh ! Excusez-nous, madame Brioche ! »

Roxane rit autant que moi :

— Papa a dit : « Pas madame Brioche, Julien ! » Et là, tu t'es repris : « Oh ! Pardon, madame Brochette ! »

Nous rions à en avoir mal au ventre. Nous n'avons jamais autant ri que ce soir, dans cette auto perdue en forêt. On chante aussi, des chansons de l'ancien temps.

« Il y a longtemps que je t'aime, jamais je ne t'oublierai… », chante maman. Puis elle soupire :

— Les années passent si vite. Il me semble que ma propre mère me chantait ça hier. Dans l'auto, justement, quand on rentrait tard…

C'est drôle. On dirait qu'elle vient de réciter une formule magique qui m'emporte aussitôt vers le futur. Pendant une fraction de seconde, je nous vois, Roxane et moi, vieux comme papa et maman. Papa et maman vieux comme leurs parents. Nous ne sommes plus une famille. Pas comme maintenant, en tout cas. On se rencontre de temps en temps…

Sur le coup, je voudrais arrêter le temps. Le garder prisonnier de notre bulle, avec nous, pour toujours.

Une petite larme chaude coule sur ma joue. Maman chante « V'là l'bon vent ! V'là l'joli vent ! V'là l'bon vent, ma mie m'attend ! »

Grand-maman nous attendait pour souper. Maman est certaine qu'elle va s'inquiéter et appeler la police. Par chance, elle lui a dit qu'on allait au musée des Bûcherons cet après-midi. On va sûrement nous retrouver…

Maman cesse de chanter et murmure :

— Si seulement nous avions quelque chose à manger !

Roxane se redresse d'un coup et me demande, avec de gros yeux :

— Dis-moi donc, Julien Potvin, d'où vient la Chococrunch qui nous a sauvé la vie ?

— Euh… Tu l'as échappée ce matin, dans la cuisine. Je l'ai ramassée pour te la redonner. Puis, j'ai oublié…

Nous aurions été contents que je la sorte juste là, non ?

Ma soeur m'enfonce ses griffes dans l'épaule et me secoue :

— Menteur ! Sale petit rat
d'égout !

— Rate dégoûtante toi-même !

— Aaaaaah !

Cette fois, c'est maman qui
pousse un cri suraigu.

Des phares ! Oui ! Un véhi-
cule s'arrête juste derrière notre
auto. Nous sautons tous dehors.

Le conducteur de la camionnette en fait autant. Maman court
vers lui.

— C'est notre bûcheron ! s'é-
crie-t-elle.

Estomaqués, nous la voyons se jeter au cou du monsieur et l'embrasser !

— *Tabarnouche* ! Vous êtes plus chaleureuse le soir, ma petite madame !

Après un gros rire, le « Père Noël » explique que grand-maman a appelé au musée, affolée par notre disparition. Comme il nous avait vus tourner dans la mauvaise direction, il a deviné la suite. Le voilà qui tend à papa un beau bidon d'essence. Et à maman, un cellulaire :

— Le signal ne sera pas terrible, mais essayez d'appeler votre maman. Elle s'inquiétait beaucoup pour sa petite famille.

Lorsque nous remontons dans la voiture, notre sauveteur lance :

— Les touristes français sont partis, puis ils ont laissé un peu de *manger*. Arrêtez-vous prendre un morceau en passant. Ce sera compris dans le prix de la visite !

Cette fois, maman et lui éclatent de rire ensemble. Nous reculons dans le sillage de la camionnette pour virer un peu plus loin. Ensuite, nous n'avons plus qu'à suivre les phares rouges de notre guide du musée des Bûcherons des pays d'en haut !

— Quelle aventure… soupire maman.

Moi, je m'écrie :

— Super !

Ta semaine de lecture…

Le champion du lundi
Julien est un élève modèle. Il recevra la médaille du Champion du lundi… mais cette médaille lui en fera voir de toutes les couleurs !

Le démon du mardi
Julien suit des cours de natation. Mais il y a aussi Lucie Ferland, qui se moque de lui tout le temps. Un cauchemar ? Sûrement, s'il n'y avait Gabrielle que Julien aime en secret… **3ᵉ position au Palmarès de Communication Jeunesse 2000**

Le monstre du mercredi
Odile place les élèves en équipe de deux. Julien se retrouve avec le monstre de la classe ! Comment se sortira-t-il des griffes de Steve ?
2ᵉ position au Palmarès de Communication Jeunesse 2001

avec Julien Potvin

Les petites folies du jeudi
Julien et Michaël sont tous deux amoureux de Gabrielle. Michaël propose de lui acheter un cadeau. Julien n'a pas d'argent de poche. Suffit-il d'en avoir pour déclarer son amour ? **Prix Communication Jeunesse 2004, Grand prix du livre de la Montérégie 2004**

Le macaroni du vendredi
Julien doit faire un exposé oral démontrant ce qu'il réussit d'extraordinaire en dehors de l'école. Julien veut épater ses amis. Mais comment ? Un champion du lundi peut-il devenir la nouille du vendredi ? **Grand prix du livre de la Montérégie 2005**

Le mauvais coup du samedi
Julien est en colonie de vacances. Il s'amuse à jouer des tours et à faire des coups pendables avec son ami Cédric. Après un mauvais coup pas gentil du tout, Julien ne se reconnaît plus. Dans quel piège est-il tombé ? Comment fera-t-il pour redevenir lui-même ?

Danielle Simard

Il m'arrive de visiter des classes où les élèves me suggèrent des thèmes ou des titres pour les aventures de Julien. Même si leurs idées sont très bonnes, je ne les retiens pas nécessairement. Car, pour écrire une histoire, il faut être soi-même « accroché » par le sujet.

Mais le jour où un élève m'a suggéré d'écrire « La promenade du dimanche » et de raconter une sortie en famille de Julien Potvin, j'ai su que je retiendrais cette idée-là. Pourquoi ? Parce que ça m'a tout de suite rappelé les promenades qu'on faisait en famille quand j'étais petite. Mes parents ont parfois dû me traîner de force. On se chamaillait toujours, mon frère, ma sœur et moi, à l'arrière de la voiture. On a crié, on a boudé, on s'est perdu en forêt… Pourtant, je garde de ces dimanches en famille de très bons souvenirs. Oui, il fallait que je parle de ça.

Et puis je remercie ma copine Caroline Merola qui m'a raconté ses sorties avec sa fille de l'âge de Roxane et son garçon de l'âge de Julien.

MA PETITE VACHE A MAL AUX PATTES

1. *C'est parce que...*, de Louis Émond, illustré par Caroline Merola.
2. *Octave et la dent qui fausse*, de Carmen Marois, illustré par Dominique Jolin.
3. *La chèvre de monsieur Potvin*, de Angèle Delaunois, illustré par Philippe Germain, finaliste au Prix M. Christie 1998.
4. *Le bossu de l'île d'Orléans*, une adaptation de Cécile Gagnon, illustré par Bruno St-Aubin.
5. *Les patins d'Ariane*, de Marie-Andrée Boucher Mativat, illustré par Anne Villeneuve.
6. *Le champion du lundi*, écrit et illustré par Danielle Simard.
7. *À l'éco...l...e de monsieur Bardin*, de Pierre Filion, illustré par Stéphane Poulin, Prix Communication-Jeunesse 2000.
8. *Rouge Timide*, écrit et illustré par Gilles Tibo, Prix M. Christie 1999.
9. *Fantôme d'un soir*, de Henriette Major, illustré par Philippe Germain.
10. *Ça roule avec Charlotte !*, de Dominique Giroux, illustré par Bruno St-Aubin.
11. *Les yeux noirs*, de Gilles Tibo, illustré par Jean Bernèche. Prix M. Christie 2000.
12. *Les mystérieuses créatures* (ce titre est retiré du catalogue).
13. *L'Arbre de Joie*, de Alain M. Bergeron, illustré par Dominique Jolin. Prix Boomerang 2000.
14. *Le retour de monsieur Bardin*, de Pierre Filion, illustré par Stéphane Poulin.

Imprimé sur du papier 100 % postconsommation, traité sans
chlore, accrédité Éco-Logo et fait à partir de biogaz.

Achevé d'imprimer
sur les presses de Marquis Imprimeur
en janvier 2007